연둣빛 치어들

연둣빛 치어들

이상인 시집

문학들

시인의 말

 첫시집 『해변주점』 이전과 이후에 쓴 시들을 모았다. 산마을 학교 연작은 백운산 속에서 아이들과 자연을 배우면서 쓴 시들이다. 시집으로 묶어 세상에 내놓으니 부끄럽기도 하지만 기쁨도 크다. 가끔씩 그때의 추억들이 늘상 비어만 가는 내 가슴을 울리게 하고 뿌듯하게 무엇인가로 채워놓곤 한다.

 시집을 또 한 권 묶어내며 인생의 스승님들께 감사를 드린다. 앞으로 더 펄펄 살아있는 시들을 쓰겠노라고 다짐한다. 묶어주신 『문학들』 식구들에게 고마움을 전한다.

2007년 여름
백운산 억불봉 아래서
이상인

차례

제2부

제3부

제4부

제1부

산마을 학교 1

교문 밖, 백운산 장사 이야기처럼
떡 벌어진 어깨로 하늘을 받치고 있는 느티나무
아이들이 시간만 나면
다람쥐처럼 뻔질나게 오르내린다.
이 빠진 연필 칼로 좋아하는 애의 이름이나
좌우명을 새겨놓기도 하는데
밤이면 그것들이 꿈틀꿈틀 살아나서
느티나무의 허벅지며, 등짝이며, 이마빡에
깊은 구멍을 파놓고 살면서
잎이나 어둠을 갉아먹는다.
그러다가 날개를 활짝 펴고
어른이 다 된 아이들이
어떻게 살아가는지 하도나 궁금하여
한재 너머 먼데까지 날아갔다 오는데
아침이면 느티나무의 팔뚝에 펄럭이는
수천의 은빛 소문들

산마을 학교 2

– 음악시간

교실 한가운데 장작난로가 이글거리는
산마을 학교, 4교시 음악시간
키 큰 선생님의 오르간 소리를 타고
창 밖에는 싸륵싸륵 눈이 내리고
아이들은 비비새떼처럼 노래를 부른다.

　　송이송이 눈꽃송이 하얀 꽃송이
　　하늘에서 내려오는 하얀 꽃송이

아직도 도시락을 싸오지 못하는 몇몇과
서울 삼촌이 보낸 빨간 장갑 한 켤레를
서로서로 부러워하는 아이들,
앓는 꿈의 머리맡으로 눈이 내리고
바라 뵈는 산읍山邑의 한쪽 어깨가 다 젖는다.

　　나무에도 들판에도 동구 밖에도
　　골고루 – 나부끼네 아름다워라

교실은 열둘 더덕꽃 같은 입술 속에서
펑펑 쏟아지는 송이 눈으로 자욱해지고
전나무들이 파랗게 떨며 안을 기웃거릴 때
선생님은 오르간을 끄고
속살이 노란 고구마를 쪼개주면서
눈 녹은 목소리로 아이들에게 말했다.

눈은 하늘에서 내려와 골고루 나부끼지만
가 닿지 않는 삶의 골짜기도 있단다.
이 세상엔 그래서
깊은 가슴 속으로부터 내리는
따뜻한 사랑의 눈이 필요한 거란다.

선생님의 말씀 끝에 아이들은 다시
교실을 떠메 갈 듯 노래를 부르고
창밖의 나무들과 마을과 산들은
희디 흰 물감 속으로 서둘러 사라지고 있었다.

산마을 학교 3

– 안개비

축구경기를 마친 운동장에
스멀스멀 안개비가 서린다.
아이들이 떨구고 간 흥분과 환호성을 재우며
수업안을 짜다가 창밖을 보면
날마다 정성껏 닦고 또 닦아도
자꾸만 삶이 흐려오는 저녁 무렵
아이들이 버리고 간 소란스러움은
아연 살아나서 빈 책상 사이를 잠방거린다.
반쯤 타다 남은 담배연기 사이로
도회지 한 귀퉁이에서 외등으로나 떨고 있을
전학 간 석이의 얼굴이 떠오르고,
무너져 내린 소값 만큼이나 깊숙이 무너진
육순의 아버지를 간호하느라 결석하는
진아의 버짐 핀 얼굴이 어른거린다.
빈 좌석, 그들이 남긴 슬픔을 다독이며
정직해라, 성실해라, 착하게 살아라,
가난한 이웃을 네 몸과 같이 아껴라.
늘 판박이처럼 하곤 했던 훈계를 되뇌니

가슴 가득 안개비가 먹물로 번진다.
하루의 빛바랜 커튼을 치고
자물쇠로 잠그는 여분의 아픈 기억들.
교실문을 나서자, 저만치 복도 끝에서
아이들의 웃음소리가 자지러질 것만 같다.

산마을 학교 4

– 탄광촌 아이

눈이 구슬봉이를 닮은 우리 반 덕순이는
학교에 나오지 못했다.
거대한 탄더미에 깔린 그의 아버지는
밤마다 아름드리 솔바람소리로 울더니
우리들의 가슴 밑바닥에 흐르고
더러는 잘게 부서져 어디론가
궤도차에 실려 끝없이 떠나가고 있으리라.
시나브로 우는 바람소리는
우리들의 말 못할 단어들을 잠재우며
손바닥만한 탄광촌을 뒤덮었다.
이리저리 뛰어다니는 소문은
날 선 톱날이 되어 작은 기대를 자르고
목마른 그림자들이 서성이는 자리로
하릴없이 무너져 내렸다.
아무리 산짐승처럼 울어도
서러움은 남아 겨울 음계를 밟고
간간 문풍지 틈으로 들리는 괴담 속에
우리들의 꿈과 싱그럽던 겨울동화마저

아예 매몰되어 버렸다.
솔바람소리에 묻힌 두메 학교의
성에 낀 목소리들
탄더미 위에 탄더미가 깔리 듯
어머니마저 가출해버린 우리 반 덕순이는
끝내 학교에 나오지 않았다.

산마을 학교 5

– 전입생

선생님도 아이들도
고개 빼고 한재를 쳐다본다.
화단의 꽃들도 환하게 웃으며
목이 빠지게 쳐다보고,
그네도 철봉도 뒤꿈치를 한껏 들고
한재를 쳐다본다.

몇 년 만에 오는 전입생,
미연이가 군내버스를 타고
이제 막 한재를 넘어오고 있었다.

산마을 학교 6

― 한솔이 일기

교실 유리창가 화분,
한솔이가 심어놓은 봉숭아 허리에
한 송이 빨간 슬픔이 매달렸다.
아빠는 여즉 일어나지 못하신다고
벌써 서너 주일이나 지났다며
몇 송이는 또 목덜미에 매달린다.
오늘도 엄마는 아빠의 일을 해결하러
하청업체를 찾아갔다.
엄마의 어두운 귀가를 읽은
한솔이의 눈물송이 같은 꽃들
나는 온몸에 핀 그 슬픔들이 시들기 전에
몇 잎 따다가 새끼손톱 물들였다.
그 때부터 내 가슴속에도
빨간 슬픔 몇 송이 환하게 켜진다.

산마을 학교 7

- 아이들의 봄

구름이 휘감아드는 백운산 허리께
해마다 입학생보다 졸업생들이 더 많은 분교
미술책만큼 얄팍한 생활기록부 속에서
하루분의 허기가 눈을 뜬다.
튀밥 같은 눈이 내리고, 외딴 두메
길 끊긴 아이의 쓸쓸한 책상이며
단추 떨어져 항시 채우지 못하는 아이의
앞섶마다 굴뚝새 울음소리가 춥게 달라붙는다.
전학 간 지은이의 노래가 들린다고
선화는 자꾸만 텅 빈 뒷교실을 훔쳐보는데,
백운산의 등뼈를 훑고 내려온 눈보라는
어머니의 주름살 같은 골짜기를 메우다가
우표만한 교실유리창을 뒤흔들며
아이들의 오후에 캄캄한 폭설로 쌓일 때
나는 연필을 눌러 학급경영부에 적는다.

겨울 깊으면 봄이 멀지 않으리라
봄이 오면 그 봄도 멀지 않으리라

22

한 태산 떠밀어가는 매서운 폭설
봄도 오는 봄도 더욱 눈부시리라

실뿌리 뻗는 고사리, 더덕, 칡덩굴처럼
앙상한 갈비뼈 사이로 치는 겨울을 녹이며
싱싱한 설중매雪中梅로 피어나는 아이들의 봄을
연필을 꾹꾹 눌러 공책에 적고 적는다.

산마을 학교 8

- 칡꽃

똑똑 누군가 창문을 두드린다.
아침자습 시간에도, 미술시간에도
문득 생각난 듯이 두드린다.
돌아보면 아무도 없다.
5교시가 끝날 때에도 두드리는
그 소리에 창문을 열어보니
칡넝쿨 그 여린 손들이 받쳐 든
보랏빛 미소가 아득하다.

척수성 소아마비를 앓는 한진이의
보랏빛 번지는 미소처럼

산마을 학교 9

- 더덕꽃

더덕꽃아, 2학년짜리 미라처럼
찔끔거리는 가랑비 맞으며
분교 돌담에 피어서 무얼 생각하니
은구슬 같은 종소리 잔뜩 감추고서
더 맑고 향기로운 종소리 그리워하니

산마을 학교 10

당산나무 뒤에 매미처럼 붙어 있더니
몇 집을 들러 징검다리 건널 땐
떼를 쓰듯 동동거리던 너는
금세 대문 뒤에서 고개를 내밀었다.
횅하니 나간 집 같은 마당에 들어서자
일찍 돌아가신 네 무정한 부모는
쓸쓸한 대숲 그늘로 어른거리고
삭정이 같은 할아버지만 나를 반긴다.
올해도 탱글탱글한 열매들을 마련한
마당가의 아름드리 감나무들
"잘 오셨는가, 저 불쌍한 중생 좀
잘 돌봐 주더라고 잉."
내가 머뭇거리며 인사를 마치니
너는 대문 옆 석류꽃 빛깔로 물들고
동행했던 아이들은 너의 등을 다독거렸다.
네 어깨 너머로 주저앉을 듯한 지붕과
그을릴 대로 그을린 금간 벽들이
네 삶의 내력만치나 뿌연 먼지를 일으키는데

동구 밖을 나서기 전에 나는
은행잎만한 가슴 속에 적고 또 적었다.
때 전 마루에 새 신처럼 포개진 동화책들과
네 희망의 싱그런 노래처럼
뒤란 대숲에서 쏟아지던 새들의 울음을

산마을 학교 11

앞산 뒷산의 오색잡색 잎새 같은
만국기와 함께 가을운동회가 열리면
나뭇잎들의 박수소리며 계곡물의 낭랑한 합창,
다람쥐와 새들도 한 자리 끼려고 기웃거린다.

단풍잎만한 운동장이 가득 차서
교문 옆에 뚝뚝 듣는 오동잎만해지고
뒤뚱뒤뚱 달리던 1학년 희숙이가 넘어지자
손뼉을 치며 웃다가 함께 넘어지는
산마을 운동회.

어머니들의 나뭇단 이고 달리기며
여자애들까지 달라붙는 기마전이 끝나면 모처럼
참취, 도라지, 고사리나물에 멧돼지고기까지
햇살과 바람과 물소리도 함께 배부른 점심

이윽고 벌어지는 줄다리기엔
동녘 장군봉과 서녘 억불봉이 나선다.

28

영차 영차, 거쿨진 함성이 골짜기를 메우고
사람들은 몇 잔 술에 울대도 치밀어
천둥산 박달재를 울고 넘으면
만세 삼창을 물고 다람쥐도 새들도
어스름 산속으로 흩어지고

산짐승들이 놀다간 자리처럼 정갈한 운동장
옆 계곡의 푸른 물소리만 남아서
바윗돌 허리춤 붙잡고 신나게 씨름을 한다.

산마을 학교 12

- 정석이

5학년 정석이의 동시가
지방신문 학생 문예란에 실렸을 때
열댓 명 되는 전교생들이 모여
뜨거운 박수를 쳐주었다.
운동장가 후박나무 그늘에서
멧돼지처럼 어눌한 정석이의
시낭송을 들으며 모두들 환하게 웃었다.
산마을에서 가장 높은 곳에 살면서
고슴도치와 노는 것이 가장 재미있다고 하던
꼬마 시인 정석이,
상품으로 받은 새 공에 모두들 휘둥그레졌다.
동시가 적힌 팽팽한 공은 하늘 높이 솟구쳐
노송의 푸른 이마를 맞추고
교실 유리창을 박살내기도 하더니
한순간 울타리 너머 멀리 날아가버렸다.

어느새 군대 제대하고
국문학과 대학원에 다니는 정석이

가끔씩 전화해서 그 때 그 공을 찾는다.

정석아, 네가 그 때 그 공이야

산마을 학교 13

– 낙엽 태우기

교실 하나에서 빠져나와
아기단풍의 주먹송이로 매달려 있던
아이들의 웃음소리가
하나 둘씩 떨어져 내린다.

그 웃음소리 싸리비로 쓰니
싸락싸락 웃음소리가 부서진다.
국어를 좋아하는 3학년 선화
동시를 잘 짓는 2학년 상엽이
별명이 꼭지인 미연이의 웃음소리

축구를 잘 하는 5학년 혜경이와
서울에서 귀농 온 4학년 민희
다람쥐 같은 1학년 석호의 웃음소리가
한아름의 가을로 모아졌다.

요래조래 흐뭇해하다가
에라이, 성냥개비를 당기니

확 타오르는 아이들의 웃음소리

그걸 보고 깔깔대는
아이들의 맑고 향그런 웃음소리.

산마을 학교 14

- 태풍주의보

먹구름에 갇힌 한재를 넘어
한 통의 일기예보가 새처럼 날아들었다.
폭우를 동반한 근육질의 바람들이 밀려와서
산마을 학교의 목덜미를 캄캄히 넘보며
교실 유리창을 쿵쿵 울려댔다.
아이들은 책상에 얼굴을 묻고
나는 비바람에 쓰러지고 다시 또 일어서는
창 밖 푸른 벼들의 슬기와
산밭의 고추와 참깨들의 지혜를 들먹였다.
하지만 도덕 공책에 씌어지기도 전에
낱낱이 부서져 산 너머로 날아가 버린 지혜들.
날마다 늘어나는 출석부의 붉은 줄과
교실 구석에 거미줄로 엉켜있는 그들의 꿈들,
그러나 끝끝내 남아 이 어둠을 지키는
아이들의 두려움 앞에서
나의 목소리는 탬버린처럼 자꾸만 떨렸다.
5교시가 지나면서 비바람은
거대한 산짐승처럼 으르렁거리고

교실은 순식간에 천둥번개로 들썩였지만
나는 아이들과 함께 고향의 봄을 힘껏 불렀다.
교정을 물들이던 라일락의 향기와
키 작은 채송화들의 까맣게 여물어가는 사랑을
뜨겁게 뜨겁게 확인하는 노래였다.
마침내 태풍주의보가 해제되고 유리창 너머
넘어진 수숫대가 빗방울을 털며 다시 일어서고
자지러지는 들꽃들의 웃음소리 속에서
밤톨만한 새떼들이 새론 합창으로 날아오를 때까지

산마을 학교 15

범바위골에서 새벽밥 먹고 달려온
호재의 책가방 속에서
노랑턱멧새의 울음소리가 들린다.
국어책을 꺼내자
푸드득 교실 뒷문으로 빠져 날아간다.

호재의 가방 속에는 늘 날고 싶은
무엇인가가 숨겨져 있는 것이다.

산마을 학교 16

- 도설봉

등교하면서 바라보고
체조하면서 바라본다.
어려운 수학문제 풀다가 보고
도시락을 까먹으며 바라본다.
저 높고 큰 도설봉道雪峰

늦은 오후, 알았다는 듯 그 어처구니를
공책받침 같은 운동장에 들이민다.
그 품에서 아이들이 공을 차고
하늘 높이 뛰거나 고무줄놀이를 한다.
오전내 아이들을 안아주던 교사校舍도
어깨를 털며 일어서서
그 봉우리와 악수를 나눈다.
고로쇠나무며 은행나무, 박태기나무가
스크럼을 짜고 빙빙 도는 것도 그때다.

가끔 아이들의 일기장에나 꿈속에도
얼굴을 들이미는 그 어처구니

산마을 학교 17

– 졸업식

오늘은 졸업식 날
풍금소리가 물살처럼 울려 퍼진다.

목木의자 삐걱이는 소리가 굴러다니고
교실 바닥의 송판 틈으로
한 해 동안 스며든 아이들의 웃음소리가
그리움의 무늬인 양 아른거린다.

삶은 머무르는 것이 아니라고
비온 뒤 죽순처럼 자란 다리와
구릿빛 팔뚝을 흔들며
서둘러 떠나는 것이라지

산봉우리로 쏘아 올리던 운동화짝들
오리걸음으로는 오리나 되는 것 같던
손바닥만한 운동장
거기 무성하던 포플러마저도
오늘은 이별의 푯대마냥 야위어 있다.

썰물처럼 비어버린 교정,
풍금소리는 해마다 이맘 때
무슨 전설처럼 울려 퍼진다.

산마을 학교 18

– 다시 분교에 서다

완행버스가 멈추자 와락 달겨드는 바람,
기억의 머리칼을 빗질해댄다.
달라진 것은 그다지 없었다.
밤나무는 교사校舍처럼 늙어 휘청거리고
칡넝쿨이며 풍년초는 우북두북했다.
아이들의 젖은 기침소리가
층층이 무너져 있는 계단,
실과시간이면 허기처럼 가꾸던 채마밭은
잡풀들에게 점령당한 지 오랜가보다.
전교생이 열 댓 명된다며 빙긋이 웃는
교직 경력 스무 해의 어깨 너머
홰나무 이파리는 은빛 물결로 반짝거렸다.
아직도 괴발개발 그려진 변소의 낙서들이
불쑥불쑥, 갖가지 의미로 키득거리고
화단에는 접시꽃이 담 밖을 향해
접시만한 안테나를 세우고 있었다.
교실 뒷벽에 적힌 장래 희망과
사랑의 굳은 다짐은 어디로 갔을까

늘 소매가 콧물로 번질거리던 성근이건
별명이 멧돼지였던 정석이들을 호명하며
바윗돌이 툭툭 불거진 운동장,
거기 희디희게 퍼지는 분필가루 사이로
아침마다 백운산 푸른 봉우리를 밀어대던
아이들의 단단한 함성이 자욱했다.

산마을 학교 19

– 방과후

어지러운 칠판을 지우다보면
하루의 공부를 마친
아이들, 때죽나무 열매처럼
산자락에 대롱거리는 오두막 속으로
오소리, 담비마냥 흔적 없이 사라진다.

이어서 쿵, 가슴 속에
거대한 산문山門 잠기는 소리

산마을 학교 20

– 솜양지꽃

장독 깬다는 3월 추위에
창문 꼭꼭 여미다가
문득 고개든 유리창 너머
불쑥 얼굴 내민 솜양지꽃

낭랑하게 국어책 읽는 소리와
탬버린 치면서 부르는 아이들의 노래가
언 화단을 뚫고 뜨겁게 밀어올린
솜털 보송보송한 노오란 봄.

제2부

어둑한 대숲머리

월산면 동산리 작은 집에 갔다가 해 떨어져 대숲머리 돌아올 땐, 괜히 목덜미가 팽팽해지고 머리가 쭈뼛해졌다.

푸르스름한 어둠 속에서 두세두세 눈을 빛내며 무슨 모의를 결의하던 푸른 죽창들

어느새 내 가슴은 깃발 하나로 펄럭이고 있었다.

하늘까지 재는 자

우리 윗대 할아버지 한 분은
날마다 땅과 하늘 사이를 재어보며
일생을 사셨다고 한다.

둥근 눈금이 층층이 그려진
푸른 대나무 자,
땅에서 하늘로 곧게 뻗은
그 끄트머리는 항상 구름에 젖어 있었다지.

가끔씩 하늘의 일이 궁금하거나
세상 돌아가는 형편이 어려워지면
눈금을 꼼꼼히 세어보기도 하고
귀에 대고 유심히 들어보곤 하셨는데
사람들이 아무리 간곡히 부탁드려도
이슬이 묻어나는 높은 곳의 소식들을
끝내 발설하지 않으셨단다.

다만, 때가 되면

48

땅에서 하늘까지의 거리며
하늘의 일들을 스스로 깨닫게 될 거라는
청댓잎 같은 말씀만 남기시고

대나무의 눈썹 이야기

대숲에 들면
자꾸 눈썹을 더 매달고 싶어진다.
늘씬한 나신裸身에 층층이 눈썹을 그려 붙이고
하늘 연못에 치렁치렁한 머리를 감는 대나무들이
둥근 눈썹을 많이 가지게 된 내력은 이렇다.

탱자나무 울타리 집에 선仙이라는 처자가 홀어머니
를 모시고 살았는데 물구십리 들판을 지배하던 지귀
地鬼가 그녀의 아미蛾眉에 반하여 청혼을 하였다. 받
아주지 않자, 정월대보름날 달이 떠오르기 전에 겁간
하고자 몰래 숨어들었다. 이를 눈치 챈 선仙이 대숲으
로 몸을 숨겼고 집안을 샅샅이 뒤지고 난 지귀가 대
숲으로 들어왔다. 그 때 대나무들이 일제히 선仙이와
꼭 닮은 눈썹을 여러 개씩 그려 붙여 지귀는 새벽닭이
울 때까지 찾다가 찾다가 돌아갔다. 다음 날도 그 다
음 날도 찾지 못한 지귀는 물이 구십 리 논들을 돌아
흘러간다는 물구십리 들판 속으로 잦아들었다 한다.

전라도 담양의 푸른 대숲에 가면

지금도 보름달이 떠오르기 전에 선仙이 것을 꼭 빼어 닮은 이쁜 눈썹을 그리느라 부산을 떠는 대나무들의 수런거림이 맑은 시냇물처럼 흘러나온다나 어쩐다나.

보길도 몽돌

보길도 예송리 몽돌 한 알
반짝이는 별들이 소금처럼 박혀 있지요.
책꽂이에 꽂혀 있는 산해경山海經 앞에
줄곧 놓아두고 바라보는데요.
한밤중 잠결에 들어보면
먼 바다를 배 저어 온 키 큰 어둠 몇이
몽돌 밭을 팔짱 끼고 걸어가다가
미끄러지고 또 일어나는 소리가 들리기도 하고요
예송리 앞 섬들이 뜬눈으로 밤을 지새우며
심심하니까 하루 두 번씩 그 많은 바닷물을
손으로 밀어내기도 하고 당기기도 하다가
잠든 붕장어들을 놀래키려고 부는 휘파람소리가
잠깐씩 들리기도 하는데요.
아침이면 방안 가득 출렁이는 파도소리
푸른 솔숲을 휩쓰는 바람소리
바삐 이불을 개어놓고
방바닥에 나뒹구는 먼지 같은 그 소리들을
젖은 걸레로 닦아내기도 하지만요

새끼 감성돔의 힘찬 울음소리며
슬프게 속삭이는 소라의 목소리까지
또 어지럽게 쌓이곤 하지요.
아마도 몽돌 속에 몇 천만 년 동안
저장되었던 그 싱싱한 시간들이
추위처럼 풀리면서 쏟아지는 것은 아닐런지요.

봉숭아 꽃물

인연이란, 찾아와 짓이겨진 채로
마음의 손톱 하나를 동여매는 것

고운 한지에 붉노란 치잣물 번지듯
서서히 온몸을 물들여 적시는 것

붉은 섬 하나 불쑥 솟아올라
함께 살아가자며 떼를 쓰는 것

하지만 인연도 깊으면 저무는 것
서녘으로 가는 하현달처럼
날마다 졸아드는 꽃 물든 손톱을
조금씩 다듬어 깎아내면서
다음에 또 소리소문도 없이 와서
나의 어느 한 부분을 물들일 인연을
가만히 생각해 보게 하는 것

더불어 그동안 내가 누군가에게

선연한 핏자국같이 찍어놓았을

인연의 흔적들을 생각해 보게 하는 것

붉은 접시꽃

말 많은 동네 아줌마들이
면사무소 담벼락에 옹기종기 모여 서서
끝도 없는 이야기를 주고받는다.
한시도 다물어지지 않는 입을
스피커처럼 층층이 매달아 놓고
동네방네 떠들어대다가
더러 배꼽 쥐고 자지러지게 웃어대며
벌 나비가 기어 들어가 한참을 놀고 나와도
꿀물 같은 얘기들 그칠 줄 모르더니

끝내는
모두들 제 설움에 겨워
울컥울컥 피 묻은 울음을 뱉어내고 있다.

이 봄날

　낮은 산언덕이 바라보이는 개울가, 자신의 몸속에서 세월 하나를 끄집어내어 한 그루 연분홍 살구꽃 피워놓고, 서둘러 흘러가는 이를 한정 없이 따라가고 싶다.

참깨를 터는 남촌댁

바다의 귓밥이 영글어 쏟아지고 있다.
허리를 반쯤 파도에게 주어버린
선무당바위 옆
남촌댁이 잘 익은 한 묶음의 바다를
거꾸로 잡고 털고 있다.
잔잔하게 쏟아지는 흰 물결들
수평선이 푸른 엉덩이를 몇 번 흔들더니
순한 눈을 끔벅이며 쳐다본다.

그동안 바다를 향해 활짝 열어놓았던
이쁜 깨꽃들의 둥근 통신망 속에는
우럭과 도다리들의 가쁜 숨결소리
먼 우레 같은 뱃고동소리와 갈매기소리
수년 전에 바다가 된 벌뫼양반의 기침소리까지도
낱낱이 잡히고
그것들은 뜨거운 한 계절을 그리움으로 여물어
남촌댁이 휘두르는 세월의 매를 맞고
쏴아 쏴아 쏟아지고 있는 것이다.

닭의장풀

이때껏,
쌀 한 말 먹어보지 못하고
뭍으로 시집 간 해연이 누나가
파르스름하게 웃는다.

저물녘, 닭장 앞을 서성대다가
저 멀리에서 밀물져오는
파아란 해조음에 놀라
삼키려던 쌀밥 세 알
차마 어쩌지 못하고
입 속에 꼬옥 머금은 채
가만히 흔들리고만 있다.

폐차

그는 몸속에 감겨 있던 길들을
일평생 멍석처럼 펴고 다녔던 것인데
이제는 더 이상 풀어줄 길이 없어서
죽어가고 있는 것이리라.

아침 햇살이 이마에 속살거리던
아름다운 출발을 기억하고 있다.
힘차게 가속페달을 밟으며
이 세상을 새로운 길들로 수놓으리라
다짐하던 목소리가 경쾌했었다.
누군가 펼쳐 놓은 길 위에
더 반듯한 길들을 깔기도 하고
도심을 벗어나 멋들어진 강변길을 내거나
들판을 지나 산길을 구불구불 펴며
조심조심 내려오기도 했던 것이다.
거의 대부분의 길들은
집과 직장을 오가며 깔아버려서
이제 자기만의 시간이 생기는가 싶자

낡은 팔다리에 순간적으로 마비가 오고
내장들도 삭을대로 삭아버려
크렁크렁 일방통행 길도 힘겨워했다.

남들은 그런 그를 보며
마음씨 좋게 세상에 길을 다 깔아주어서
그럴 거라고들 입을 모았지만
그는 숨죽인 듯 알고 있었다.
평생을 허둥대며 욕심껏 말아온 길들에게
꼼짝없이 눌려 죽어왔다는 것을

쥐불

어둑해질 무렵
기인 밭둑길을 퍼덕이며 달아나는 암탉 한 마리
배고픈 어른들이 새카맣게 뒤쫓아 가고 있다.

섬사람들

　살기 위해 스스로 만든 가두리양식장에 모두들 갇혀 있었다.

　살이 오를 대로 오른 빛들만 코 작은 그물을 유유히 빠져나가 큰 바다에서 헤엄치고 이제 다시 그놈들을 잡아들이기에는 덩치가 너무 커버렸다.

　간혹 성질 급한 이들이 뛰어들었지만 하나같이 흔적도 없이 잠겨서 푸른 바다가 되었다.

하늘에서 뛰어내리는 물고기들

－ 한승원 선생님댁에서

장흥 율산 마을
한승원 선생댁 감나무 세 그루
봄부터 연둣빛 치어들을 젖 물려 키우더니
이 늦은 가을
빨갛게 노랗게 물든 물고기들
율산 앞바다로 한 잎 두 잎 뛰어내린다.

해산토굴*
앞 풍경소리에 앞 파도 불러내고
뒷 풍경소리에 뒷 파도 따라나오고

바다 수 십 권을 베껴 써 놓고
아침 저녁으로
그 푸른 바다 한쪽씩 침 묻혀 넘기면서
안경 너머로
꼼꼼히 밑줄 그으며 읽다가

잔잔하게 일렁이는 율산 앞바다

하늘에서 뛰어내린 잘 익은 고기들이
먼 수평선을 향해
힘차게 헤엄쳐 나아가라고
자꾸 자꾸 더 깊고 푸르게 출렁거리는
바다의 낱장을 넘겨준다.

* 해산토굴 : 장흥 율산 마을에 있는 한승원 선생님의 서재 이름

참 아름다운 인연

장마가 활짝 걷힌 토요일 퇴근길
황길역을 지나 초남에 들어서기 전
다섯 분의 청둥오리 가족을 만났지요.
큰놈이 앞장서고 엄마오리 뒤에 서서
국도변을 걸어오시는데, 차란 차들은
씽씽 달리지, 사고 나겠더라고요.
그래 급정거하고 뛰어가서
새끼오리님들을 한분씩 도로 옆 풀숲으로
모셨지요. 도로가에 쳐둔 작은 돌담을
못 넘어가서 계속 걸어오고 있었던 거예요.
머리 위를 날며 울부짖는 엄마오리
내가 마지막 오리님의 볼에 입을 맞추자
행글라이더처럼 건너 논두렁으로 날아가 앉더니
새끼들을 애타게 부르는 거예요.
물론 새끼 오리님들은 장대 같은 풀숲을 헤치며
쏜살같이 달려들 갔지요.
다시 차를 몰다가 백미러를 보니
거기 엄마오리가 사뿐사뿐 날고 있었어요.

두 손을 너울너울 흔들어대면서

하포리에서

이곳에 발을 들여 놓으면 누구든지 푸르름이 넘실대고 있다는 것을 금방 눈치 채게 된다. 차를 몰고 세로細路를 가면 푸르름 속에서 물장구치는 듯한 착각에 빠져든다. 다닥다닥 엎어놓은 고막껍질 같은 지붕들도 작고 시퍼런 파도소리를 휘두르며 병정놀이를 하는 꼬마들의 어깨도 그 푸르름으로 살아서 숨쉰다.

하포리는 거대한 푸른 바다로 일렁거린다. 시간이 지날수록 차들도, 소들도, 사람들도 유유히 흐르고 있다는 것을 알게 된다. 우리들이 날마다 끌고 다니다가 저만치 두고 온 길들도 흐르고, 죽고 또 죽어서 다시 살아나고 있는 파도소리도 흐른다. 콩밭을 메는 할머니의 손등도, 그물코를 꿰매는 아낙네들의 패이고 패인 가슴도 흐른다.

그 흐름들은 출렁거리는 푸르름 안에 있다. 이곳에 오면 누구나 바다를 바라보면서 바다를 잃는다. 우리들이 아프게 딛고 온 시간의 흰 뼈들이 갈기를 세우

고 밀려와 허허로이 그대 기억의 중심에서 부서지는
소리를 들어야 한다. 더러 갈매기들이 끼룩끼룩 경經
읽는 소리를 마음의 손끝으로 만져야 한다.

제3부

아궁이에 추억을 지피다

저물 무렵, 시커먼 아궁이 속으로 복숭아나무 장작이며 자두나무 뿌리를 던져 넣는 아버지가 자꾸 웃으신다. 30년도 넘게 서로 어울려 서서 봄마다 시새워 벙글대던 꽃송이들을 일렁이는 불꽃 속에서 보신 것이다. 늙고 병든 과수원이 잘리고 쪼개진 채 담벼락에 기대어 몸을 말리다가 마지막으로 짜내는 따뜻하고 화려한 꽃무늬들, 그러다가 구들장을 덥히고 굴뚝을 빠져나와 머리 풀어 하늘로 올라가는 것을 바라보노라면 어디선가 새끼 부르는 어미새소리 들리고 벌떼들의 앵앵거림, 단물 드는 과일 향기가 집 주위를 아늑하게 감싸는 것 같은데, 아궁이에 추억을 다 지피고 나오시는 아버지의 눈자위가 유난히 붉어져 있고 눈썹 끝이 젖어 있는 이유가 매운 연기 때문만은 아니란 걸 나는 알고 있다.

영화 한 편의 눈보라

쇠고기 두어 근 떠서 찾아가면
오래 묵은 복숭아의 딱딱한 등걸 같은
부모님이 나를 반기시네.
때마침 하늘을 점점이 메우며
지붕에도 마당에도 탱자나무 울타리에도
햇솜처럼 내리는 한 떼의 눈보라
두 분은 고개를 길게 빼곤
자신들이 주인공이 되어 찍은
한 편의 영화를 감상하듯 바라보시네.
하늘에서 사시던 눈들이기에 저리 고울까
나도 곁에서 진지한 표정을 지으며
휘모리장단으로 몰아치기도 하고
깊은 상처를 핥듯 꺾인 감나무가지 어루만지는
눈송이들 바라보네.
다 살아놓고 보면 힘든 과수원농사도
논농사도, 축사에서 살다간 그 많은 소들도
영화 한 편의 눈보라 같은 것을
잠시 눈 그친 사이

쇠고기국에 밥 말아 먹으며 생각해 보네.
대문간에 서 계신 살구나무 등걸 같은 두 분,
올 봄에도 연분홍 꽃잎들을
멍석 하나 가득 펼쳐 보여 주시려나

月山里에서

눈이 내린다. 텅 빈 들판에다
말뚝을 박고 실팍한 뼈마디 일으켜 세워
눈 시린 비닐하우스로 다시 일어선 사람들
새벽의 문을 열어 제치면
밤새 한뎃잠을 달랜 딸기모종들이
파르스름하게 웃는다, 시도 때도 없이
술 취한 바람은 들판을 질러와서
장가 못간 솔봉이네 삼촌처럼
논두렁에 퍼질러 앉아 종일을 울고 가는데
오늘도 딸기에 물을 대고 잡초를 뽑아주고
비닐을 단단히 여미며 들길로 나선다.
이 논 저 논에서 건강하게 일어선
비닐하우스의 등줄기를 때리며
딸기꽃 같은 눈은 뚝뚝 떨어지고
지난 여름장마에 휩쓸려 떠나간
몇 몇 들풀들의 시름에 젖은 소문이
찢긴 비닐, 철사토막들로 어지럽다.
차고 더운 막걸리사발 건네면

새까맣게 몰려오는 눈보라의 군단
파랗게 질린 채 또 하루 밤을 견디어야 할
딸기들의 뜨거운 숨소리가
비닐하우스 가득 부풀어 오른다.

감자꽃

감자꽃이 피었습니다.
씨를 묻고 재 뿌려
삽으로 꾸욱 꾹 다져주던 양일이형 텃밭에
무리지어 피어났습니다.
지난 늦봄까지
줄기차게 선보았던 아가씨들
앞으로도 몇 번인가 볼 아가씨들의
이름과 웃음소리와 종아리까지도
눈에 삼삼 얼얼하게
흰 감자꽃이 피었습니다.

불끈거리는 고추들

긴 고추밭이 아주머니를 삼켰다가
내뱉었다가 한다.

아랫도리 벌겋게 용쓰는 고추들
고춧잎들이 애써 가려보지만 역부족이다.
달랑달랑 달린 것들이 너무 무거워
실한 작대기 하나씩 붙들고 비칠거린다.

불끈거리는 것들을 살살 쓰다듬으면
잔뜩 몸을 움츠리는 고추밭
아주머니는 후끈 달아오른 밭고랑을 오가며
한나절 내내 땀을 뻘뻘 흘리고
따놓은 고추들은 더 붉어져서
하늘을 수놓으며 날아다니는데

덜컹덜컹 경운기에 실려 가는 고추들이
햇살처럼 쏟아내는 금빛 종소리,
지는 노을이 다시 환하다.

늦가을

1. 아버지

저수지 아랫배미
가슴에 찍힌 바퀴자국들,

작은 바퀴자국 위로
큰 바퀴 뭉개고 지나간 자국들,
더 큰 바퀴에 짓눌린 자국들,

깊게 팬 주름마다
살얼음을 안고 누워 계신다.

2. 김장배추

햇살 잔잔한 초겨울
함지박만한 젖퉁이 내놓고
함지박만하게 웃고 있는 아낙네들

들치는 앞섶을 자꾸 여며주고
허리, 가슴을 단단히 묶어주어도
푸른 치맛자락 활활 벗는다.

세월을 두다가 귀가하는
웃골 어르신네의 헛기침에도
대책 없이 삐져나오는 퉁퉁 불은 젖퉁이
담벼락에 고물거리던 햇살들이
달라붙어 빨고 있다.

빈 소막

멀쑥히 키 큰 토란들이 바람을 타고
빈 소막을 기웃거렸다.
바닥에는 말라 비틀린 큰형님의 희망이
덕지덕지 붙어 있고
감또개를 빠뜨리며 깊은 근심에 잠겨 있는
짚더미 옆의 늙은 감나무
바람막이 비닐들이 큰형님의 가슴처럼 북북 찢어져
한없이 펄럭거렸다.
밤새도록 빈 소막에선 소울음소리가 들렸다.
찐득이처럼 달라붙는 그 소리가 싫어
벽을 향해 돌아누우면
그 먹성 좋던 소들의
큰 눈알들이 실룩거리는 것이 보였다.
그 속에는 큰형님의 모습이 보이기도 하고
오랫동안 깊은 중병을 앓아 온 소막의
깡마른 얼굴이 쿨럭이고 있었다.
텅 빈 가슴의 색바랜 사료푸대 두어 묶음
추억처럼 아무렇게 나뒹굴고

이제 자잘한 마늘이나 건조되고 있는
빈 소막,
떠나간 소들의 마지막 울음소리가 칭칭 감겨 있는
처마 밑의 시커먼 거미줄만이
무작정 흔들리고 있었다.

차부

눈비 그을 처마 한쪽 변변하지 못한
버스 종점에 눈이 내린다.
광주리에 매달린 아낙네 몇이 눈 맞고
덧없는 세월에 어깨 붙들려온 촌로 두엇,

젊은 운전기사는 좀처럼 떠날 줄을 모른다.
몇 번이나 떼었다 붙인 행선지
벼멸구 떼처럼 지천으로 쏟아지는
폭설에 가려 갈 길이 보이지 않고
추운 허리춤을 뒤지며
어느 새 어둠이 두리번거린다.

험하고 멀어도 가야할 길 위에
허기로 만원인 버스 한 대
머리에 덮인 눈을 쓸며 서 있다.
산간에 엎드려 애타게 기다리다 지쳤을
몇 잎 너펄거리는 오두막집과
반신불수로 드러누운 희미한 불빛들은

지금쯤 대설을 끌어 덮으며
잠이 들었을까

젊은 운전기사는 또 한번
불확실한 시간표를 바꾸어 달고
언 명태 몇 마리, 꿈처럼 익은 노란 귤 봉지
손가락에 매달아 둔 채
모두들 눈 속에 파묻힌다.

어머니의 참깨들

참으로 오랜만에 고향에 돌아와
참깨를 벤다.
얘야, 천천히 조심해서 베어라
깨 다 쏟아질라.
가만가만 이르시는 어머니의 말씀을 들으며
문득 발아래를 보니
모래처럼 쏟아져 흩어진 슬픔들이여.
올 참깨 농사는 흉작이구나!
잠시 허리를 펴시는 어머니의 발뿌리 근처로
아직도 덜 죽은 장마가 캄캄하게 일렁이면서
밭고랑이 더욱 흐려진다.
대숲에 물결치는 참새들의 울음소리 들으며
지금 내가 베는 것이
참깨의 그 가는 발목이 아니고
어머니의 길고 질긴 아픔의 한 계절임을
어머니는 또 다시 밭두렁에 세워둔
다 털어버린 참깨대로 남으시고
우리 형제들은 쏟아진 참깨처럼

사방으로 뿔뿔이 흩어졌다.

파에 북을 주며

아직도 덜 퍼부은 장맛비가 남아 있는지
시커멓게 그을리는 병풍산 몬댕이*,
파에 북을 준다.
닳을 대로 닳은 어머니의 호미는
고랑의 흙을 긁어 올리기에도 버거운지
자꾸만 헛손질을 하고
나는 쇠갈퀴로 듬성듬성 긁어 올렸다.
파들은 파랗게 질려 있었다.
하나같이 발목들이 부실하여
곧 대열 전체가 쓰러질 것만 같았다.
쓰러지지 말자 쓰러지지 말자
어머니는 있는 힘을 다해
호미로 눈물을 긁어 올려 북을 하고
언젠가는 제 값을 할 때가 있을 것이다.
나는 여린 팔 몇 개를 부러뜨려가며
발목을 묻어주었다.
드디어 듬뿍듬뿍 북을 다 주었을 때
병풍산 몬댕이에서 큰 아가리를 벌리고 몰려와

이리저리 뛰어다니는 새카만 비구름들
우물가에서 쇠갈퀴를 씻다가 보았다.
파리한 모습으로 고꾸라져 있던 파들이
허리를 펴며, 서로 손을 굳게 잡으며
질긴 장맛비를 뚫고 힘차게 걸어가고 있음을

* 몬댕이 : 꼭대기

귀로

노을이 지는 강둑길을 걸어가는
당신의 뒷모습을 바라봅니다.
핏빛 노을은 쓰러지는 법을 일찍 배워버린
갈대들을 적시며 흐르고
하루의 노동을 마치고 돌아가는
무거운 그림자 끝으로
끝내 해결할 수 없는 아픔들이 부서집니다.
지푸라기 과자봉지 찌그러진 깡통을 안고
두껍게 얼어붙은 강심만큼이나
봄이 찾아와 줄 것 같지 않은
입춘 무렵
하루 종일 비닐하우스 속의 딸기를 매만지고
아직은 짱짱한 하늘 바라보며
노을 든 마을로 돌아가는 당신의 뒷모습에
시리도록 하얗게 피어나는 딸기꽃송이들
살아오면서 흘린 눈물만큼이나 하루의 끝은
항상 지쳐있어 더욱 휘청거리고
그래도 못다 피운 꽃들을 위하여

텅 빈 마을로 서둘러 돌아가는
당신의 이름을 힘주어 불러봅니다.

畓谷日記

사람들은 저마다 말없이 떠나갔다.
이 빠진 곳이 시려와 답곡畓谷은 돌아눕고
낡은 양철지붕을 두드리는 눈발과
골방 깊은 곳까지 출렁거리는 적막,
눈보라에 발목 잡힌 나목들이 쓸쓸하다.
도회지로 떠나간 이들을 위해
바구리봉에 올라 소망의 연을 띄우지만
이내 전설 같은 용소龍沼 속으로 추락하고
빈한한 아버지들의 일평생이
얼어붙은 절벽에서 미끄럼을 탔다.
풀뿌리들의 선잠 속까지 대설이 내려
답곡의 한 쪽 어깨가 자꾸 허물어지는데
이제 그 누가 남아
이 어둠을 깨뜨릴 것인가.
저 첩첩 산 너머 농협창고 굳게 닫힌 문과
삐걱거리는 면사무소 캐비넷 속에서 지워진
떠나간 호구戶口들의 서러운 주소를 더듬으며
눈은 내리고

처마 밑 참새들의 가슴 맨바닥에

가랑잎처럼 쌓인다.

청솔연기

우리들의 가슴 맨 밑구들장에서 흘러나와

왈칵, 눈물 솟구치게 하는 그리움의 뿌리.

제4부

산노을

반 쯤 손을 들고 있었다.
동박새,
헤어진 이름을 부르며 산을 넘어가고
가만히 있어도 조용히 물들어 오는
가슴 속의 구름
사랑한다, 사랑한다, 사랑한다.
마지막 떠는 한 떨기 바람에
여린 두 볼 부비는
강아지풀
이제 할 말은 남아 있지 않았다.
반 쯤 눈 감고 돌아앉은
산노을
그 연한 분홍빛.

덕례리 1

끝내 떠나지 못하는 사람들이
소리치며 떠나가는 기차를 바라보네.
출근길에 쫓기고, 차 시간에 쫓기고
또 다시 종일을 허둥대다가
힘없이 달라붙는 까만 그림자를 이끌며
도치바구*를 오르다보면
하루의 기차는 결국 떠나지 못하는
사람들의 아픈 마음을 가로질러
아득히 사라져가는 것이 보이네.
집에서, 차 속에서, 직장에서
선술집에서, 길 한가운데에서
늘 떠나가고 있으면서
눈치 채지 못하고 살아가는 사람들
뜬 구름처럼 흘려보낸 시간만큼
쉴 새 없이 떠나가고 있으면서도
알지 못하고 근근이 살아가고 있는 사람들
결국 밤낮없이 소리치며 떠나가고 있는 것은
저 시커먼 기차가 아니고

날마다 조금씩 비어가는 슬픈 가슴이었음을

* 도치바구 : 도끼가 바위에 꽂혔다고 해서 붙여진 지명

덕례리 2

오성타워맨션 앞 빈 공터에는
질경이, 달개비며 상추, 쑥갓들이
서로 살을 부비며 모여 산다.
새벽녘이면 15층까지 잠들었던 사람들이
밤새 묻었던 어둠을 턴다.
이른 새벽 13층 하늘에서 내려와
아침 운동을 하는 김씨
이슬 묻은 자운영의 분홍색 추억을 꺾어서
버릇처럼 입에 문다.
그 때쯤 차에 시동을 걸던 정씨가
푸른 칼을 휘두르는 옥수수를 바라보며
고향 텃밭을 생각한다.
오성타워맨션 속으로
밤새 달려온 서울행 열차가 지나간다.
아직 잠에서 덜 깬 유리창들이
강물 흐르는 소리를 내며 흔들린다.
방마다 막 깬 토끼풀이며 삐비들도
영문도 모른 채 이불 속에서 흔들린다.

하청업체에 다니는 외아들을 따라 온
할머니, 억새처럼 흔들리며
영감이 묻혀있는 선산을 생각한다.
그녀의 낡은 기차는
늘 그곳을 향해 달리고 있다.

光州 화첩

당신을 그리면 보이지 않던 것들이
은조기 떼처럼 팔팔하게 살아나서
화폭 뒤에 은밀히 숨어든다.
그늘마다 일어서던 돌들의 함성을 지우면서
다시는 살아서 돌아오지 못하는
그 해 봄 붉게 타오르던 꽃잎들의
명명한 이름을 지우면서
가만가만 당신을 스케치하는 손끝에
이름 모를 허연 울음소리가 묻어난다.
한 시대가 쌓아올린 슬픔의 낟가리를 날리며
바람은 맨발로 캔버스 주위를 서성거리는데
안개처럼 자꾸만 흐려오는 생각에
몇 번인가 꺼뜨렸다가
다시 붙여 문 담배연기 사이로
오들오들 떨고 있는 우리들의 자유를 본다.
신음하는 한 세대의 불면 위로
한 행 두 행 스치며 떠도는 영혼들을 본다.
자꾸만 축 처지는 두 어깨와 팔뚝

지금 단단히 일으켜 세우려고 하지만
당신 뒤에 까맣게 출렁거리는 어둠,
그 목소리들이 달려들어 하얗게 지워버린다.
그러나 서서히 깨어나는 당신의 모습
나는 이제까지 그렸던 부끄러운 주제들을
화면에서 말끔히 지워버리고
새벽종소리 같은 싱싱한 사랑을 그리기 시작했다.

삘기

누군가 강둑에 누워
하늘에 상형문자를 새겨 넣는다.
방금 새로 만들어진
무수한 세필細筆들

하늘에 새겨진 글자들은
부드러워질 대로 부드러워져
숨을 쉬는 듯 꿈틀거리고,
부드럽다는 것은 마음속에
질긴 띠를 심어 놓고 살아간다는 것
푸른 마음이 가득 담긴
큰 저수지 하나 가까이 두고 있다는 것

나도 세필 하나 입에 물고
강둑 위에 눕는다.
하늘에 새겨져 있던 물총새며
멧비둘기, 동고비들이 퍼덕이며
한순간 힘차게 날아간다.

104

강둑에 엉킨 띠 떼
내 몸 속에도 그물같이 퍼질 때
내가 바라보는 모든 것들이
한없이 부드러워졌다.

중마시장 손씨

파장 무렵이면
어김없이 시장바닥을 어지럽히던 손씨,
사라진지 2년 만에 임시주차장 가에서
벌겋게 녹슨 횟칼로 발견되었다.
그가 살아남기 위해 날마다 갈아대던
남포횟집 횟칼
그 횟칼에 저며진 그의 생이
한 접시씩 때 전 식탁에 올려지고
상추, 쌈장, 마늘, 고추에 싸여
캄캄한 목구멍들 속으로 넘어갈 때마다
그는 횟칼을 더 예리하게 갈았던 것
그렇게 자신을 숫돌에 갈고 또 갈아서
시퍼렇게 날선 내면이
수족관에 죽음처럼 유영하는 광어, 숭어를 응시하며
과거의 바다를 기억해내곤 했다.
그 푸른 바다를 생각하며 진저리를 쳤다.
그러다가 몇 잔 술에 시장바닥을 들어 엎더니
수족관에 고기도 받지 않고

발길 뚝 끊긴 손님처럼 무소식이던 그가
순대코너 양씨에 의해 발견되었던 것
손잡이는 썩어서 어디론가 떠나가고
벌겋게 녹슨, 이제 막
흙의 세계에 닿았음직한 얼굴로
양씨 손에 들려 시장을 한 바퀴 돈 후
임시주차장 가에 고이 묻혔다.

중마시장 철거기

모두들 둘러서서 바라보고 있었다.
포크레인 기사가 무쇠주먹을 들어 올릴 때
시장건물은 죽음을 앞둔 늙은 짐승처럼
몸을 부르르 떨며 잔뜩 웅크렸다.
바지락을 까서 팔던 진상댁
청과물의 성만이네, 떠벌이네도
숨죽이며 마른 침만 삼켰다.
무쇠주먹이 시장 입구 왼편을 치자
심하게 비틀거리더니 반대쪽 귀에서
푸석 매운 먼지가 피어올랐다.
그리곤 순식간이었다.
거죽이 뜯겨져 나가고, 능구렁이처럼
도사리고 있던 통로와 상점자리들이
십 수 년 묵은 욕지거리를 뱉으며 튀어나왔다.
추적추적 비가 내리기 시작했고
꽂히는 비수 사이로 무수한 생각들이
갈 곳을 몰라 털썩 털썩 주저앉거나
철거반에 쫓겨 이리저리 몰려다녔다.

시장바닥 속에 뒤죽박죽 매몰되어버린
끊일 새 없던 입소문과 장기농성,
시멘트로 봉합된 온갖 악다구니들이여.
이제 번듯하게 들어설 중마주차장에는
밤이면 형형색색의 차들이 모여들어
전혀 생소한 꿈을 꾸며 잠들 것이다.

耳鳴

말매미가 유장하게 운다.
참매미들도 덩달아 한낮을 뒤흔들며 운다.
들에 나갔던 아버지, 어머니가
삽과 호미를 앞세우고 돌아오신다.
우물 속에 파랗게 고여 있는 매미 울음소리,
몇 바가지 퍼내 손을 씻으신다.
삽날과 호미 끝에도 듣거니 맺거니
수건을 건네 드리자
온몸에서 벌떼처럼 일어난 매미 울음소리가
들로 산으로 하늘로
마구 무지개처럼 뻗히는 것이었다.

억새풀

흐리고 어지러운 사면四面이다.
누워 있기 보다는 앉아 있기
앉아 있기 보다는 흔들리기
혼자서 흔들리기 보다는
여럿이 흔들리기
바람의 끝이 보일 때까지
쉬지 않고 흔들리기

등나무 아래서

푸른 잎을 피워 자식들을 덮어주고
아내와 따스하게 등을 기대며
잠들고 싶었을 것이다.
서로 등을 비벼대며
맑은 꽃도 피우고 싶었을 것이다.

네 쌍의 등나무가 똬리를 틀며
꽃 대궐을 차린
덕례리 아파트 공원 벤치

119 구급차가 새벽같이 왔다가
급히 떠나고서야 보였다.
그가 날마다 꿈꾸며 잠들었을
두 장의 구겨진 신문지
발치에 약병과 함께 나뒹구는
협력업체 마크가 선명한
단화 한 짝

밤새 마음 다독이라고 뿌려주었을

등나무의 보랏빛 눈물송이들이

하나같이 발가락을 오그리고 있었다.

가장을 기다리는 애타는 처자식들처럼

포장마차

말 울음소리를 들어본 적이 없다,
샛별처럼 반짝반짝 울리는 방울소리도
야산의 속살이 붉게 드러난
신택지개발지구, 말馬 없는 마차에서
말간 소주를 두어 병 깐 김씨와 이씨,
벌써 몇 채의 건물을 날림으로 지었다가
번번이 거센 욕지거리 속으로 허물어뜨린다.
굴을 굽다가 떡라면 가닥을 건지던
기름때에 전 작업복의 청년 몇이
허름한 뒷문을 열고 나갈 때
마차의 잔등을 후려치는
싸락눈의 모진 채찍
세발낙지를 다듬던 주인이 움찔 놀라
가로수들이 무심히 호주머니에 손을 찌르고 걷는
어둔 밤을 힐끔거린다.
요즘은 말 없는 마차들은 수시로 잡아 간다지
따스한 아침의 나라에서, 한술 밥에,
애들이라도 교육시키고 싶은 소망으로

밤새워 말없는 마차를 끌고 있는 마부들
가까워오고 있는 새벽만큼이나
허리가 왕새우처럼 휘어져 펴질 줄 모른다.

할아버지는 감나무 속에 계시고

네 살짜리 아들놈의 손을 잡고
할아버지가 심었다는 늙은 감나무 그늘에 선다.
매미 울음소리는 한나절을 자지러지고
아들놈이 손을 들어 나뭇잎 사이로 비치는
고조선의 파란 하늘 한 자락을 가리켰을 때
아리랑 한 소절 구성지게 뽑으며 날아오르던
할머니의 옷고름을 닮은 물레새 한 마리,
때마침 불어오는 바람에
감나무는 가지 하나를 끄덕거린다.
할아버지의 말씀을 명주실처럼 풀어내고 있는
매미 울음 속에서 아버지로부터 전해들은
할아버지의 어린 시절 이야기들,
밤사이 서투른 대동여지도를 질퍽하게 그려놓고
새벽같이 키를 쓰고 소금 얻으러 다닌 일이나
수박서리 하다가 들킨 일을 이야기하고 있을 때
갑자기 감또개 하나가 떨어지더니
이마를 툭 친다.
마치 할아버지가 감나무 속에 계셔서는

우리에게 무슨 말씀이라도 던져주는 듯.
아들놈이 감나무 밑둥치에 오줌을 누자
그놈 고추 한번 잘 생겼네.
흐뭇해하시는 모습이 감잎 사이로 보이는 듯도
하다.

그 후로 아침만 먹으면
아들놈은 할아버지를 만나러 가자고 졸랐다.
그분이 드리우는 수 십 년의 그늘 아래서
청빈한 세월을 이끌어 온 댓잎 같은 분들과
충효 깊은 조선 호랑이의 이야기를 듣는 것이
참으로 재미난 모양이었다.

가을의 강

흔들어 줄 손수건 한 장 준비하지 못한 채
가을날들은 흘러가네.
기러기 울음소리 몇 낱으로 기는 강은
잘 익은 대춧빛 노을로 반짝거리네.

흐르고 흘러서 더 흐를 것이 없는
이 늦은 가을날
그대여, 무릎을 펴고 편히 잠드는
가을의 강을 보았는가.
강물은 깊어질 대로 깊어져서
고뇌의 말씀처럼 여울져 오고
그리움의 손사래를 치던 갈대들은
일렬횡대로 눕는다.

서걱거리는 뼈마디에 뿌리고 가는
외로운 사람들의 취기
결국 취해서 갈대밭에 쓰러지는 것은
끝내 버릴 수 없는 이야기를

밤새워 나누던 푸석한 눈꺼풀들이었지만
기억의 끝에서 다시 일어서고 있는 것은
가슴속 저 하류로부터 덮여져 오는
침묵 같은 어둠의 이부자리
그 끝에서 스스럼없이 손을 내미는
죽은 물살들의 울음소리였네

가을의 강은
가랑잎 같은 생들을 끊임없이 아래로
아래로만 쓸어 가고 있다.

까치밥

가을햇살에 뜨겁게 달구어져
금방 떨어질 것 같은 홍시.

시간의 질긴 매듭을 풀기 시작하던
어린 시절,
가을하늘에 그리움처럼 켜진
두어 개 불씨를 목마르게 바라보다가

문득 쏘아대던 돌팔매에 떨어지던
총총한 별들을 품은 저녁 어둠이여.
추수 끝난 들판을 질러 온 바람은
굴뚝연기를 사정없이 흐트러뜨리고
드디어 내 깊은 잠 속에서
끊임없이 제 살을 깎는 댓잎들

아침이 감나무 가지에
몇 방울 새똥 떨어지는 모습으로 찾아오면
서서히 가오리연들은 자맥질하기 시작하고

삶의 매듭을 짓기 시작하던 그 때부터
아득하게 높은 곳에서 손짓하며
나를 이끌어 가는 빨간 알전구 두엇

어머니의 채소밭

김장용 무를 쑤욱 쑥 뽑았습니다.
시퍼런 머리채를 붙잡힌 무가
긴 여름 이야기처럼 뽑혀져 나왔습니다.
나온 자리마다 캄캄한 구멍이 뚫려 있었지요.
몸집이 비대해진 아줌마 같은 배추를 뽑았습니다.
단단히 묶어놓은 허리끈 터지고
푸른 치맛자락이 찢어져도 꼼짝하지 않았지요.
안쓰러운 듯 바라보시던 어머니께서
배추의 허리통을 매만져주고
엉덩이를 몇 번 토닥거리고서야
우리들의 품에 덥석 안겼습니다.
그 빈자리들 유난히 넓어 보이는데

어머니께서 당신의 자궁 안에
심고 가꾼 우리 육남매,
언제부턴가 뽑혀져 뿔뿔이 떠난 그곳도
먼 별빛이 돋는 초저녁
시래기 몇 개 나뒹구는 채소밭처럼

어둠침침하고 휑뎅그렁하게 비어 있겠네요.

그늘을 밀어내는 따스한 햇살

최영철

여기 두 갈래의 시가 있다. 절망의 시와 희망의 시가 있다. 절망의 시는 모든 불안과 파국을 앞질러 제시함으로써 곧 닥쳐올지도 모를 위기상황을 지연시키고 방지한다. 안온한 현재를 들쑤시고 보장된 미래에 재를 끼얹고 덫을 친다. 희망의 시는 지치고 낙망해 이제 그만 그 자리에 주저앉으려는 이에게 한 바가지 시원한 생명수를 제공한다. 지금의 삶이 그대를 속일지라도 저 앞의 모퉁이만 돌아가면 환하고 따스한 새날이 펼쳐질 것이라 등을 두드린다. 그 두 갈래의 출발점은 서로 다른 듯 하나 가 닿고자 하는 종착

124

점은 같은 하나의 갈망이다. 비극적 정황으로서의 절망을 미리 제시해 희망에 대한 갈구를 한층 드높이는 것, 꺼져가는 희망의 불씨에 쉬지 않고 추임새를 넣어 그 불씨를 잉걸불로 되살려놓는 것.

절망을 통한 변주는 세계가 너무 안일한 희망으로 들떠 있다는 인식에서 비롯되고 희망을 통한 변주는 세계가 너무 암울한 미궁 속을 헤매고 있다는 인식에서 비롯될 것인데, 이상인 시의 전략은 대체로 후자에 모아진다.

> 그대 살 속에 길이 있네.
> 그대 살 속에 절벽이 있네.
> 그대 살 속의 길 속에 절벽이 절벽 속에 길이
> 서로를 꽉 껴안고 있네.
>
> 아침 저녁
> 그대 살 속에 들면 화안한 그 절벽길.
>
> — 「生」

시인의 첫 시집 『해변주점』(2001년, 문학과경계사)의 첫머리에 놓인 시다. 첫 시집은 대체로 시를 쓰게 된 동기와 동력, 시인의 세계관이 그 속에 녹아있는데 이 시에 배치된 길과 절벽이 나름의 무게로 다가 온다. 길과 절벽은 공존할 수 없는 상반된 두 지향점 이다. 길은 앞으로 펼쳐질 보랏빛 청사진을 제시하는 출발의 개념이며 절벽은 이제 그만 걸음을 멈추기를 종용하는 종착의 개념이다. 길은 무수한 꿈과 이상을 동반하지만 절벽은 그런 것들을 그만 포기하거나 수 정하기를 지시한다. 길 위에서는 게으름을 피울 수도 뒷걸음질을 칠 수도 신이 나 펄쩍펄쩍 뜀뛰기를 해볼 수도 있으나, 절벽 앞에서는 뛰어내리거나 멈추는 단 두 가지 선택뿐이다. 딴전을 피우고 희희낙락할 겨를 이 없다. 시 속의 '그대 삶'은 우리 생이 이루고자 하 는 모든 목표일 것인데 그 목표는 때로 길이 되고 때 로 절벽이 된다. 그것을 〈시〉라는 좁은 개념으로 바 꾸어 읽어보면, 한 편의 시가 광활한 길을 열어주기 도 하고 가파른 절벽의 위기를 제시해준다는 의미로 도 읽힌다. 그것을 희망과 절망이라는 말로 바꾸어 읽어보면 의미는 더욱 분명해진다. 즉 시 속에 희망 이 있고 시 속에 절망이 있다. 시의 희망 속에 절망 이, 절망 속에 희망이 있다. 이번 두 번째 시집에 선 보이는 이상인의 「산마을 학교」 연작시의 세계가 그 러하다.

교실 한가운데 장작난로가 이글거리는
산마을 학교, 4교시 음악시간
키 큰 선생님의 오르간 소리를 타고
창 밖에는 싸륵싸륵 눈이 내리고
아이들은 비비새떼처럼 노래를 부른다.

　송이송이 눈꽃송이 하얀 꽃송이
　하늘에서 내려오는 하얀 꽃송이

아직도 도시락을 싸오지 못하는 몇몇과
서울 삼촌이 보낸 빨간 장갑 한 켤레를
서로서로 부러워하는 아이들,
앓는 꿈의 머리맡으로 눈이 내리고
바라 뵈는 산읍山邑의 한쪽 어깨가 다 젖는다.

　나무에도 들판에도 동구 밖에도
　골고루 – 나부끼네 아름다워라

교실은 열둘 더덕꽃 같은 입술 속에서
펑펑 쏟아지는 송이 눈으로 자욱해지고
전나무들이 파랗게 떨며 안을 기웃거릴 때
선생님은 오르간을 끄고

속살이 노란 고구마를 쪼개주면서
눈 녹은 목소리로 아이들에게 말했다.

눈은 하늘에서 내려와 골고루 나부끼지만
가 닿지 않는 삶의 골짜기도 있단다.
이 세상엔 그래서
깊은 가슴 속으로부터 내리는
따뜻한 사랑의 눈이 필요한 거란다.

선생님의 말씀 끝에 아이들은 다시
교실을 떠메 갈 듯 노래를 부르고
창밖의 나무들과 마을과 산들은
희디 흰 물감 속으로 서둘러 사라지고 있었다.

- 「산마을 학교 2 - 음악시간」

　가난하지만 꿈을 잃지 않고 있는 아이들과 그런 아
이들을 바라보는 선생님의 안쓰러운 마음이 교차하
고 있다. '창 밖에는 싸륵싸륵 눈이 내리고/아이들은
비비새 떼처럼 노래' 부르는 정황은 한 편의 동화처
럼 아름답지만 '아직도 도시락을 싸오지 못하는 몇몇
과/서울 삼촌이 보낸 빨간 장갑 한 켤레를/서로서로
부러워하는 아이들'의 처지에 의해 현실은 곧 슬픈

128

동화로 전락한다. '나무에도 들판에도 동구 밖에도/ 골고루 – 나부끼'는 눈송이는 목청껏 불러보는 노래 에서나 가능하다. 균등하게 꿈(눈송이)이 분배되지 못하는 현실에 대해 선생님은 '눈은 하늘에서 내려와 골고루 나부끼지만/가 닿지 않는 삶의 골짜기도 있' 다는 말로 아이들을 위로한다. 그런 '선생님의 말씀 끝에 아이들은 다시/교실을 떠메 갈 듯 노래를 부르' 는데 그 힘찬 합창은 현실을 극복하려는 의지가 담긴 것이기도 하고, 쉽게 달성하지 못할 목표 앞에 나약 해진 스스로를 달래보는 합창이기도 하다.

「산마을 학교」 연작은 시골 분교를 무대로 한 것이 지만 그 공간 안에 지금 우리 사회가 안고 있는 여러 문제들이 투영되고 있다. 〈안개비〉에서는 도시로 전 학 가 변두리 삶에 편입되거나 병든 아버지를 간호하 는 제자 생각에 마음이 무거워진 스승의 심정을, 〈탄 광촌 아이〉에서는 싱그럽던 꿈이 탄더미에 매몰되어 버린 불행이, 〈한솔이 일기〉에서는 산업재해 당한 아 버지 이야기를, 〈가정방문〉에서는 결손가정의 제자 를 바라보는 스승의 마음이 담겼다.

이 우울한 풍경들과 더불어 「산마을 학교」 연작은 시골 분교에 피어나는 희망의 기운을 함께 제시하고 있다. 〈솜양지꽃〉에서는 '언 화단을 뚫고' 어김없이 찾아온 '솜털 보송보송한 노오란 봄'을, 〈아이들의 봄〉에서는 아이들 수만큼 자꾸 줄어드는 꿈을 새롭게 길어 올리고 있는 교사의 노력을, 〈칡꽃〉에서는 상처를 어루만지는 '칡넝쿨 그 여린 손들이 받쳐 든/ 보랏빛 미소'를, 〈더덕꽃〉에서는 분교 돌담에 피어나 '더 맑고 향기로운' 희망의 기운을, 〈태풍주의보〉에서는 풍파를 이겨내려는 극복의 의지를, 〈호재의 책가방〉에서는 비상하고픈 아이의 열망을, 〈도설봉〉에서는 운동장까지 내려온 산봉우리와 악수하는 아이들의 호연지기를 그렸다. 「산마을 학교」 연작에는 이처럼 밝고 긍정적인 요소가 더 많고 결여와 훼손을 담은 시의 끝자락에도 대부분 희망의 출구를 마련해 놓고 있다.

시인의 희망 찾기는 고단한 오늘의 삶을 북돋우고 위무할 묘약을 찾아가는 과정으로 이해할 수 있겠는데, 그 현장에 직접 팔을 걷어붙이고 뛰어드는 실천력도 보여주고 있다.

장마가 활짝 걷힌 토요일 퇴근길
황길역을 지나 초남에 들어서기 전
다섯 분의 청둥오리 가족을 만났지요.
큰놈이 앞장서고 엄마오리 뒤에 서서

국도변을 걸어오시는데, 차란 차들은

씽씽 달리지, 사고 나겠더라고요.

그래 급정거하고 뛰어가서

새끼오리님들을 한분씩 도로 옆 풀숲으로

모셨지요. 도로가에 쳐둔 작은 돌담을

못 넘어가서 계속 걸어오고 있었던 거예요.

머리 위를 날며 울부짖는 엄마오리

내가 마지막 오리님의 볼에 입을 맞추자

행글라이더처럼 건너 논두렁으로 날아가 앉더니

새끼들을 애타게 부르는 거예요.

물론 새끼 오리님들은 장대 같은 풀숲을 헤치며

쏜살같이 달려들 갔지요.

다시 차를 몰다가 백미러를 보니

거기 엄마오리가 사뿐사뿐 날고 있었어요.

두 손을 너울너울 흔들어대면서

– 「참 아름다운 인연」

   도로변에 친 시멘트벽에 막혀 위험한 행군을 하고 있는 청둥오리 가족을 안전한 풀숲으로 돌려보내고 있는 이 시는 시인의 자리가 어디여야 하는지를 생각하게 한다. 대부분의 사람들은 이 같은 정황에서 무관심과 방관의 입장이 되기 쉽고, 시인들 역시 바라보는 자의 입장에 설 확률이 높다. 왜냐하면 몸을 움직여 행동하는 쪽에 비해 거리를 유지하는 견자의 입장이 훨씬 더 유용한 시적 상상력을 도출해 낼 가능성이 높기 때문이다. 행동하고 실천하는 쪽은 인간의 예의에는 합당할 수 있으나 여러 정황의 가능성과 상상들을 차단하는 결과를 낳을 수도 있다. 그런데 그는 급하게 차를 세우고 그들을 향해 뛰어간다. 질주하는 차량들 사이에서 오리 가족이 사고를 당할 것 같은 생각에 본능적인 행동이 뒤따른 것이었다. 그런 경험에 의해 쓰여진 이 시의 골격은 실제 상황에서 크게 벗어나 있지 않은 듯하다. 엄마와 새끼 오리들은 잠시 동안의 혼란을 거쳐 안전지대로 돌아갔고 그는 다시 차를 몰고 가며 어미 오리의 감사 인사를 받는다.

이와 같은 해피엔딩을 이끌어낸 시인의 실천은 훌륭했으나 독자에 따라서는 다소의 불만을 가질 수도 있다. 예측할 수 있는 정답보다는 미처 예측하지 못했던 우여곡절의 과정이 독자에게는 더 큰 재미로 다가올 수 있기 때문이다. 시인 또한 그것을 알고 있었을 것이나 위와 같은 상황에서 그런 저울질은 전혀 의미가 없었다. 위험에 처한 오리들을 구출하는 것이 급선무였기 때문이다. 그런 면에서 이상인은 머리로 궁굴리는 시보다 몸이 시키는대로 받아 적는 정직한 시인이다. 머리는 가상의 조건들을 끊임없이 추리하고 생산하지만 몸은 현재와 과거의 실재했던 경험들하고만 소통하고 반응한다. 이상인 시의 촉수는 그래서 미래보다는 과거와 현재를 향해 있다. 앞으로 나아가지 않고 다음과 같이 천천히 거슬러가고 돌아간다.

> 노을이 지는 강둑길을 걸어가는
> 당신의 뒷모습을 바라봅니다.
> 핏빛 노을은 쓰러지는 법을 일찍 배워버린
> 갈대들을 적시며 흐르고
> 하루의 노동을 마치고 돌아가는
> 무거운 그림자 끝으로
> 끝내 해결할 수 없는 아픔들이 부서집니다.
> 지푸라기 과자봉지 찌그러진 깡통을 안고
> 두껍게 얼어붙은 강심만큼이나
> 봄이 찾아와 줄 것 같지 않은
> 입춘 무렵
> 하루 종일 비닐하우스 속의 딸기를 매만지고
> 아직은 쨍쨍한 하늘 바라보며
> 노을 든 마을로 돌아가는 당신의 뒷모습에
> 시리도록 하얗게 피어나는 딸기꽃송이들

살아오면서 흘린 눈물만큼이나 하루의 끝은

항상 지쳐있어 더욱 휘청거리고

그래도 못다 피운 꽃들을 위하여

텅 빈 마을로 서둘러 돌아가는

당신의 이름을 힘주어 불러봅니다.

- 「귀로」

    이 시에 등장하는 '당신'은 지금 노을 지는 강둑길을 걸어가고 있는데 그것을 바라보는 시인의 위치는 당신의 뒷모습이 보이는 뒤편이다. 시적 대상보다 앞서지 않고 뒤처져 가는 행보는 그의 시에서 일관되게 보이는 관점인데 그 덕분에 시인은 갈대를 적시는 핏빛 노을과 하루의 노동을 마치고 돌아가는 무거운 그림자와 해결할 수 없는 아픔들이 부서지는 저녁풍경을 보는 행운을 누린다. 늦게 가고 나중에 가는 시인의 느린 행보는 빠르게 가고 먼저 가기를 원하는 세상에 대해 질문을 던진다. 빠르게 가는 것은 느린 것들을 뛰어 넘거나 짓밟는 행위가 되기 쉽고, 먼저 가는 것 역시 자연의 규칙과 순리를 거스르는 폭력적 결과를 낳을 우려가 높다. 시인은 빠르게 먼저 가느라 배설해놓은 문명의 부산물들과 그 질주의 속도를 따라잡지 못해 도태된 농촌의 현실을 '지푸라기 과자

봉지 찌그러진 깡통'과 '두껍게 얼어붙은 강심'으로 나타내기도 하고, 그 상실과 박탈감을 털고 다시 일어나는 모습을 '하루 종일 비닐하우스 속의 딸기를 매만지고' '못다 피운 꽃들을 위하여/텅 빈 마을로 서둘러 돌아가는' 바지런한 일상으로 포착하기도 한다. 앞의 입장이 농촌보다 앞서가는 도시의 시각이 낳은 결과라면, 뒤의 입장은 농촌을 우러러보며 농촌의 뒤를 따라간 결과로 얻어진 것이다. 대상보다 앞서고 내려다보는 세계는 보는 자에 의해 재편되고 왜곡된 세계를 낳고, 대상을 따라가며 우러러 보는 세계는 대상이 가진 속성을 귀하게 다루고 살핀다. 그 지극한 예의가 이상인 시에 있다.

모두들 둘러서서 바라보고 있었다.
포크레인 기사가 무쇠주먹을 들어 올릴 때
시장건물은 죽음을 앞둔 늙은 짐승처럼
몸을 부르르 떨며 잔뜩 웅크렸다.
바지락을 까서 팔던 진상댁
청과물의 성만이네, 떠벌이네도
숨죽이며 마른 침만 삼켰다.
무쇠주먹이 시장 입구 왼편을 치자
심하게 비틀거리더니 반대쪽 귀에서

푸석 매운 먼지가 피어올랐다.

그리곤 순식간이었다.

거죽이 뜯겨져 나가고, 능구렁이처럼

도사리고 있던 통로와 상점자리들이

십 수 년 묵은 욕지거리를 뱉으며 튀어나왔다.

추적추적 비가 내리기 시작했고

꽂히는 비수 사이로 무수한 생각들이

갈 곳을 몰라 털썩 털썩 주저앉거나

철거반에 쫓겨 이리저리 몰려다녔다.

시장바닥 속에 뒤죽박죽 매몰되어버린

끊일 새 없던 입소문과 장기농성,

시멘트로 봉합된 온갖 악다구니들이여.

이제 번듯하게 들어설 중마주차장에는

밤이면 형형색색의 차들이 모여들어

전혀 생소한 꿈을 꾸며 잠들 것이다.

- 「중마시장 철거기」

오늘의 기술문명 사회가 보여주는 변화의 속도는
시적 상상력을 추월하고 있고 어떤 면에서는 시적 세
계관을 조롱하고 있기까지 하다. 시가 추구해온 꿈과
이상이 얼마나 보잘 것 없고 진부한 것인지를 최근

야기되는 엽기적인 사회현상들이 잘 말해주고 있다. 시의 위기는 변화에 능동적으로 대처하기 싫어하는 시 내부의 문제와 함께 엄청난 속도의 파급력을 가진 새로운 장르들에 의한 외부적 요인에도 원인이 있다. 그것을 다 소화시키기에 시의 용량이 너무 작고, 그 당돌한 가치들을 순순히 받아들이기에 시의 정신이 아직 고답적이다.

앞의 시는 그런 옛것과 새것의 충돌이 빚은 잠시 동안의 혼란을 그리고 있다. 포크레인 기사의 무쇠주먹과 죽음을 앞둔 늙은 짐승 같은 시장 건물은 새 것과 옛 것의 대치상황을 보여주고 있다. 무쇠주먹 포크레인은 무엇을 때려눕히거나 부수기 위해 출몰했고 낡은 시장 건물은 두려운 순간 앞에 몸을 떨며 잔뜩 웅크리고 있다. 그리고 무쇠주먹의 철거반 앞에 재래시장의 힘은 너무도 미미했다. 숨죽이며 마른 침만 삼키다가 푸석 매운 먼지를 일으키며 주저앉는다. 그렇다고 낡은 것이 강건한 새것 앞에 그대로 굴복하고 물러난 것은 아니었다. '십 수 년 묵은 욕지거리'가 튀어나오고, 곧 없어질 운명을 슬퍼하듯 '추적추적 비가' 내렸다. 그보다 앞서 '끊일 새 없던 입소문과 장기농성/시멘트로 봉합된 온갖 악다구니들' 도 있었다. 그리고 시인은 그 장기 농성과 악다구니 위에 반듯하게 들어설 새 시장에 깃들 '전혀 생소한 꿈'을 예감하고 있다. 전혀 생소한 꿈이란 무엇일까. 그것은 반듯하게 잘 정비된 화려한 꿈일 수도 있지만 수십 년 수백 년 동안 유지되었던 재래시장의 푸근한 삶을 짓뭉개는 아주 낯설고 허튼 꿈이 될 가능성이 높다. 옛것이 친숙한 수평의 꿈이라면 곧 들어설 새 것은 생경한 수직의 꿈이 될 공산이 크다. 다음의 시에서 그런 우려는 보다 구체적으로 드러난다.

그는 몸속에 감겨 있던 길들을
일평생 멍석처럼 펴고 다녔던 것인데
이제는 더 이상 풀어줄 길이 없어서
죽어가고 있는 것이리라.

아침 햇살이 이마에 속살거리던
아름다운 출발을 기억하고 있다.
힘차게 가속페달을 밟으며
이 세상을 새로운 길들로 수놓으리라
다짐하던 목소리가 경쾌했었다.
누군가 펼쳐 놓은 길 위에
더 반듯한 길들을 깔기도 하고
도심을 벗어나 멋들어진 강변길을 내거나

들판을 지나 산길을 구불구불 펴며

조심조심 내려오기도 했던 것이다.

거의 대부분의 길들은

집과 직장을 오가며 깔아버려서

이제 자기만의 시간이 생기는가 싶자

낡은 팔다리에 순간적으로 마비가 오고

내장들도 삭을대로 삭아버려

크렁크렁 일방통행 길도 힘겨워했다.

남들은 그런 그를 보며

마음씨 좋게 세상에 길을 다 깔아주어서

그럴 거라고들 입을 모았지만

그는 숨죽인 듯 알고 있었다.

평생을 허둥대며 욕심껏 말아온 길들에게

꼼짝없이 눌려 죽어왔다는 것을

　　　　　　　　　　　　　　　－「폐차」

　　얼마 전 10여년 가까이 몰고 다닌 경차를 폐차하면서 큰절을 올린 적이 있다. 새 차 앞에 음식을 차려놓고 무사고를 비는 고사를 올리는 게 일반적인 관행이지만 나는 그동안 우리를 무사히 데리고 다닌 차의 노고에 감사하며 큰절을 올렸다. 이런 생각은 비단

자동차에 국한 된 것이 아니어서 나는 그동안 쓰던 물건을 버릴 때에도 몇 번을 주저하며 미루고 미루다가 어쩔 수 없는 상황이 되어서야 밖으로 내보낸다. 비록 말 못하는 물건이지만 우리를 도와 같이 살았던 한 식구라는 생각을 지울 수가 없는 것이다.

이상인 역시 그런 모양이다. 폐차될 지경에 이른 낡은 차를 생각하는 방식이 깍듯하다. 여기서의 자동차는 생명이 다한 고철 덩어리가 아니라 '몸속에 감겨 있던 길들을/일평생 멍석처럼 펴고 다'닌 하나의 인격체였다. 자동차의 종말은 기계 장치의 종말이 아니라 '더 이상 풀어줄 길이 없어'진 존재의 종말이었다. 그 존재는 비록 낡고 녹슬었으나 '아침 햇살이 이마에 속살거리던/아름다운 출발'과 '힘차게 가속페달을 밟으며/이 세상을 새로운 길들로 수놓'던 기억이 내장된 엄연한 생명체다. 그리고 자신이 가고 싶었던 길보다 '누군가 펼쳐 놓은 길', 운전자가 이끌었던 길을 갔고 '이제 자기만의 시간이 생기는가 싶자/낡은 팔다리에 순간적으로 마비가 오고/내장들도 삭을대로 삭아' 폐기처분될 위기를 맞았다. 차의 소망은 세상에 좋은 길을 깔아주고 싶은 것이었으나 그 소망에 근접하지 못하고, 평생을 허둥대며 욕심껏 말아 올린 인간의 길에 꼼짝없이 눌려 죽는 운명에 처하고 만 것이다. 우리의 생이 대체로 그러하지 않을까. 애초 꿈꾸었던 길로 한 발짝도 나아가지 못하고 줄곧 엉뚱한 길을 달려 폐차 지점까지 가고야 마는 경우가 허다하지 않은가.

이상인의 시는 이처럼 희망과 절망을 적절하게 변주해낸다. 그가 세운 시의 집에는 살짝 드리운 그늘을 밀어내며 환한 햇살이 비치고, 그 햇살에 나른해질 즈음 슬금슬금 그늘이 다가와 등을 두드린다. 그리고 마지막에는 그 모든 것을 감싸 안을 따스한 온기를 온돌방의 군불처럼 지펴놓고 있다.

절망에 감염되지 않고 희망에 인색하지 않은 이상인 시의 힘은 어디에서 나오는 것일까. 그것은 아마 다음의 시처럼 아직 그의 곁에 존재하는 착하고 바지런한 이웃과 그의 주변을 감싸고 있는 푸르고 건강한 자연의 작용일 것이다. 아직 훼손되지 않은 순정을 가진 이웃과 자연의 기운에 힘입어 앞으로 이상인의 시에서 '바다의 귓밥' 같은 깨가 '먼 우레 같은 뱃고동소리'가 더욱 신명나게 터져 나오기를 바란다.

　바다의 귓밥이 영글어 쏟아지고 있다.
　허리를 반쯤 파도에게 주어버린
　선무당바위 옆

남촌댁이 잘 익은 한 묶음의 바다를

거꾸로 잡고 털고 있다.

잔잔하게 쏟아지는 흰 물결들

수평선이 푸른 엉덩이를 몇 번 흔들더니

순한 눈을 끔벅이며 쳐다본다.

그동안 바다를 향해 활짝 열어놓았던

이쁜 깨꽃들의 둥근 통신망 속에는

우럭과 도다리들의 가쁜 숨결소리

먼 우레 같은 뱃고동소리와 갈매기소리

수년 전에 바다가 된 벌뫼양반의 기침소리까지도

낱낱이 잡히고

그것들은 뜨거운 한 계절을 그리움으로 여물어

남촌댁이 휘두르는 세월의 매를 맞고

쏴아 쏴아 쏟아지고 있는 것이다.

―「참깨를 터는 남촌댁」

문학들 시선 004

연둣빛 치어들

초판1쇄 찍은 날 | 2007년 6월 28일
초판1쇄 펴낸 날 | 2007년 6월 30일

지은이 | 이상인
펴낸이 | 송광룡
펴낸곳 | 문학들
등록 | 2005년 8월 24일 제2005 1-2호
주소 | 503-821 광주광역시 남구 양림동 24-18번지 2층
전화 | 062-651-6968
팩스 | 062-651-9690
전자우편 | munhakdle@hanmail.net

ⓒ 이상인 2007
ISBN 978-89-92680-04-X 03810